CUENTAMÉRICA

OTROS TÍTULOS DE ESTA COLECCIÓN

CUENTOS DEL SAPO

Dirección Editorial
Canela
(Gigliola Zecchin de Duhalde)

Diseño gráfico:
.Helena Homs

Tejido de tapa:
Pelero choapino mapuche,
Temuco, sur de Chile.
(Gentileza Ruth Corcuera)

Montes, Graciela
   Cuentos del sapo / ilus. por Gustavo Deveze - 3ª ed. - Buenos Aires :
Sudamericana, 2005.
   64 p. ; 21x14 cm. (Cuentamérica)

   ISBN 950-07-1900-2

   1. Literatura Infantil y Juvenil Argentina I. Gustavo Deveze, ilus. II. Título
CDD A863.9282.

Primera edición: noviembre de 2000
Tercera edición: mayo de 2005

Impreso en la Argentina.
Queda hecho el depósito
que previene la ley 11.723.
© 2000, Editorial Sudamericana S.A.®
Humberto Iº 531, Buenos Aires.

Web-site: www.edsudamericana.com.ar

ISBN 950-07-1900-2.

CUENTOS DEL SAPO

Graciela Montes

Ilustraciones:
Gustavo Deveze

Este libro formó parte,
originariamente, de los Cuentos de
mi país, *del Centro Editor*
de América Latina.
Dedico su renacer a la memoria
de Boris Spivacow, editor de tantas y
tan valiosas colecciones.

PARA ACERCARNOS

¿Por qué será que los animales nos inspiran historias? ¿Por qué será que los dibujamos, los modelamos y los tallamos, y hasta les damos una voz para hacerlos hablar, discutir, engañar y mentir como si fueran personas? Vaya uno a saber por qué. Tal vez inventarles historias sea un modo de acercarse a ellos, de entender algo de ese mundo tan secreto que poseen y en el que nosotros no tenemos cabida.

Lo cierto es que hay cientos de historias de animales que andan sueltas por el mundo. Algunas muy viejas, de más de cuatro mil años. Historias sin libro que viven sólo en la memoria y en la voz de quienes las cuentan, y que de pronto reaparecen. Cuando una madre quiere consolar o entretener a un hijo. Cuando un grupo de trabajadores se junta para compartir el descanso. O en los velorios, cuando los que acompañan al muerto quieren hacer pasar el tiempo y, de paso, ahuyentar a la muerte. Son historias vagabundas, que mutan, viajan, crecen, se achican, se mezclan y hasta, de a ratos, se olvidan. Pero siempre vuelven.

Dos por tres, en una de esas historias salta un sapo.

El sapo parece mandado hacer para personaje. Eso de que viva tan cómodo en la tierra como en el agua, ese canto inconfundible que tiene, su cuerpo rechoncho y chato, su extraña y habilidosa lengua, sus hábitos de cazador nocturno, sus saltos, sus ojazos, su "sonrisa" gigante... Todo en él llama la atención y provoca imágenes e historias.

El sapo aparece retratado en paredes, vasijas y mantas. Ha servido para juegos, conjuros y bromas. Ha merecido adivinanzas, coplas, zambas... Y cuentos.

En los cuentos tiene un papel bien definido. Casi siempre hace de "chiquito con pretensiones". Un petiso pero bravo, que enseguida se envalentona, discute con quien haya que discutir y no está dispuesto a que lo atropellen ni a que lo dejen afuera de ninguna fiesta. Si hay que pelear, pelea. Propone apuestas, y hasta presenta batalla si viene el caso. Después vuelve al yuyo. Pero, como el cuento guardado en la memoria, es por un tiempo nomás. El sapo siempre vuelve. De pronto, cuando nadie lo espera, pega un saltito y se hace notar.

LA PRIMERA APUESTA

Del sapo se cuentan muchas cosas. Se dice que es un bocón, que como buen bocón es muy charlatán y que –aunque chiquito– no se deja atropellar por nadie. Se dice también que le encantan las apuestas y que, además, suele ganarlas.

Y, entre las muchas cosas que se cuentan, se cuenta ésta.

Parece ser que era un sapo catamarqueño, que vivía en algún huequito perdido entre los cerros y

que todas las tardes, en cuanto el sol empezaba a
ponerse, se iba a parar cerca del camino y ahí se
quedaba, escondido entre los yuyos, quietito, quietito, esperando que pasara alguna mosca para atra-
parla al vuelo con la lengua.

Y parece ser que por ahí mismito fue a pasar
Suri, el ñandú, a los trancos largos como es su costumbre, siempre apurado y siempre mirando a lo
lejos desde lo alto de su cuello.

Y bueno, un ñandú que anda corriendo por el
suelo de Catamarca no va a pararse a ver si pisa algún sapo, así que el sapo de pronto sintió la pata
del ñandú sobre su lomo y se dio cuenta de que,
de buenas a primeras, había quedado bastante más
chatito que antes.

—¡Epa, amigo! ¿Por qué no mira dónde pisa? —gritó, muy enojado.

El ñandú se paró en seco, miró hacia abajo, vio al sapo y largó la carcajada.

—Perdón, hermanito, pero usted no es de los que se ven a simple vista... ¡Mire que había sido petiso!

—Bueno —se defendió el sapo—, no es para tanto.

—Petiso lo que se dice petiso —seguía riéndose el ñandú—, más petiso no puede ser... ¡Qué petiso!

El sapo miraba de reojo y, poco a poco, empezaba a hincharse con la rabia. Y como petiso era, pero no sonso, en seguida pensó en el modo de desquitarse de Suri y de todas sus carcajadas.

—Seré petiso —dijo de pronto—, pero, petiso y todo, veo más lejos que usted, no crea.

–¡¿Que ve más lejos que yo, hermanito?! –repitió el ñandú–. ¡No me haga reír que se me despeinan las plumas! ¿Usted dice que ve más lejos que yo... que yo, nada menos, que tengo estas patas tan largas, tan espléndidas, y este cuello de maravillas? Pero, hermanito, usted no puede ver más lejos que yo... ¡ni subido a una escalera!

–Usted dice que no y yo digo que sí... ¡Hagamos una apuesta!

–¿Y qué quiere apostar?

–Le apuesto a que mañana a la mañana veo la luz del sol antes que usted... Y no va a ser difícil, como yo veo más lejos...

–Está bien, hermanito, aceptado. Mañana aquí mismo ¡y bien tempranito!

Al día siguiente llegaron los dos bien temprano. Era noche todavía; los cerros estaban negros, el cielo estaba sin luna y brillaban las estrellas en lo oscuro.

–Bueno, vamos a prepararnos –dijo el sapo.

–A prepararnos –dijo el ñandú.

El ñandú entonces se trepó a una lomita, estiró el cogote y clavó los ojos en la llanura. Miraba hacia el Este porque bien sabía que por ahí sale el sol.

El sapo mientras tanto se subió a una piedrita, se sentó cómodamente y miró al Oeste, sin sacar los ojos de los picos de la Cordillera.

"¡Pobre sapito, si será ignorante!", pensó el ñandú, "¡ni siquiera sabe por dónde se asoma el sol a la mañana!" Y, sin sacar los ojos del horizonte, con el cogote endurecido de tanto estirarlo, se rió para sus adentros.

Clareaba apenas cuando de pronto se oyó la voz del sapo:

—¡El sol! ¡El sol! ¡Ya lo vi! ¡Lo vi primero!

El ñandú se dio vuelta de golpe y vio, allá en lo alto y a lo lejos, las cumbres de la Cordillera, brillantes de sol, rosadas y luminosas.

—¡No puede ser! —murmuraba mientras se frotaba contra una mata de pasto el cuello dolorido—. ¡No puede ser!

—Pero es —dijo el sapito mientras se alejaba a los saltos.

Y durante años y años, en ronda de sapos, siguió contando esta aventura.

—¡Parece mentira! —decía—. ¡Tantos años viviendo en Catamarca y no sabe que el sol, antes de amanecer, primero alumbra la Cordillera!

LA CARRERA DEL SIGLO

Ésa no fue la última vez que se encontraron Suri, el ñandú, y el sapo.

Un tiempito después de la famosa apuesta volvieron a toparse. Esta vez fue en medio de un campo y en plena provincia de Salta.

Suri venía como siempre, a los patadones por el mundo, y el sapo andaba, como es su costumbre, a los saltos entre los yuyos. Y por eso no es nada raro que una vez más la pata del ñandú ha-

ya terminado subida al lomo del sapito.

El sapo miró de reojo y lo
vio al ñandú. El ñandú se
agachó un poco y lo vio al
sapo.

–¡Otra vez, hermano! ¡Que
no se diga! ¿Usted siempre pi-
sando gente?

–¿Y usted siempre tan ena-
no? –respondió el ñandú–.
¿Qué pasa que no crece?

Y los dos se miraron a los ojos con cara de fu-
ria: el sapo, porque no soportaba que lo anduvie-
ran atropellando, y el ñandú, porque nunca se
había olvidado del mal rato que había pasado
aquel amanecer en Catamarca, cuando le habían
ganado, en buena ley, una apuesta.

También el sapo se acordó de ese día y no pudo con su genio.

–Mire, hermano, voy a proponerle algo... ¿No
adivina? ¡Una apuesta!

–¿Otra apuesta? No, sapito, no quiero más apuestas –dijo Suri, y se dio vuelta para retomar su carrera.

–Pero mire que este trato le conviene –le gritó el
sapo persiguiéndolo a los saltos–. ¡Juguemos una
carrera!

—¿Una carrera? —se interesó Suri.

—Sí, una carrera. Así arreglamos las cosas de una vez por todas. Una carrera con público, para que todos vean quién es quién. Si usted gana, yo lo voy a respetar siempre y nunca lo voy a llevar por delante. Y usted tiene que prometerme que, si el que gana soy yo, usted siempre me va a respetar y nunca más me va a andar atropellando.

"Esa apuesta me conviene", pensó el ñandú, al que le encantaba la popularidad. Y de tan satisfecho se le enrularon las plumas.

—Bueno, está bien —aceptó enseguida.

—Que sea el domingo —propuso el sapo—. En la cancha de arena que está cerca del camino.

Así fue como el ñandú y el sapo se pusieron de acuerdo en correr la gran carrera. Enseguidita se pasó la voz entre los animales del vecindario y no hubo bicho que no se riera de las pretensiones del sapo, que quería ganarle en velocidad nada menos que al ñandú.

—Si será fanfarrón este sapo —comentaba la tortuga—, ¿no sabe acaso que Suri es capaz de ganarle una carrera al mismísimo viento?

Pero el sapo no anduvo perdiendo el tiempo. Se pasó el resto de la semana visitando parientes. Para el sábado a la noche había conseguido reunir noventa sapos, noventa primos que se le parecían como una gota a otra gota de agua. Muy en secreto les pidió que al día siguiente se escondieran en la arena de la cancha, uno detrás del otro, a lo largo de la pista.

—Tienen que estar bien atentos. Cuando el ñandú está por llegar al sitio del escondite ustedes pegan un salto, un solo salto, y vuelven a esconderse. ¿Entendieron?

—Entendimos —respondieron los primos.

—Si un sapo no puede, noventa sapos han de poder —dijo el sapito, y no dijo más.

Y llegó nomás el domingo, el día de la gran carrera. Para el mediodía ya se había reunido todo el animalaje en la pista; nadie quería perderse un espectáculo tan grandioso.

Suri llegó a los trancos, con aire de triunfador, saludando al público con las plumas en alto.

—¿Qué tal, hermanito? —le preguntó al sapo, que

ya lo estaba esperando en la línea de largada–. ¿No quiere echarse atrás? Mire que todavía está a tiempo...

El sapo no dijo nada, pero le dedicó una gran sonrisa y, mientras sonreía, pensaba: "Si un sapo no puede, noventa sapos han de poder".

–Bueno –dijo el quirquincho, que hacía de juez de la carrera–. La carrera es desde acá hasta ese algarrobo y después vuelta hasta acá. ¿De acuerdo?

–¡De acuerdo! –contestaron a coro el ñandú y el sapo.

Suri salió como una bala, levantando polvareda. Corría a todo lo que le daban las patas, alzando un poco las alas. Cada tanto echaba una ojeada al suelo, para ver si lo veía al sapo. ¡Qué raro! Por rápido que corriese, siempre veía al sapo saltando muy cerca de sus patas. Volvía a mirar, y... ¡otra vez el sapo! Siempre el sapo. Muy cerca de él, pero llevándole ventaja.

"¡No puede ser!", se decía el ñandú, y corría más rápido todavía.

Llegaron al algarrobo, dieron la vuelta y siempre estaba ahí el sapito, cada vez más cerca de la línea de llegada.

–¡Ganó el sapo! –gritó el quirquincho.

¡Era increíble!: el ñandú había perdido la carrera y, para colmo, ¡le había ganado un sapo!

Suri, desconcertado y avergonzado, seguía sin entender nada, pero se prometía que nunca más iba a jugarle ninguna apuesta al sapo.

No es necesario contar que esa noche el sapo salió a celebrar la victoria con sus noventa primos.

–Si un sapo no puede –decía a cada rato–, noventa sapos han de poder.

Y no hizo falta decir más.

¿QUÉ MÁS QUIERE EL SAPO?

Claro está que no siempre le salen tan bien las cosas al sapo. Parece que hubo una vez en que vivió un gran peligro.

Fue por culpa del zorro, que después de cazar un montón de gallinas había andado acusando al pobre sapo de la cacería.

—Fue el sapo, se los aseguro —le decía al que quisiera oírlo—. Se pasa las noches cazando gallinas.

—Pero eso no es cierto —se defendía el sapo—. Todo el mundo sabe que yo nada más cazo moscas,

mosquitos, tábanos, luciérnagas, abejas, mariposas...

—¡Y gallinas! —chillaba el zorro.

Y por mucho que el sapo explicó y explicó, por mucho que juró que era inocente, que él en su vida jamás había comido una gallina, vino la policía y se lo llevó preso.

En esos tiempos la policía era muy severa con los animales que cazaban gallinas. Si era un zorro, le disparaban con la escopeta o lo perseguían con los perros, y si era un sapo... Si era un sapo era un verdadero problema porque ningún policía sabía qué hacer con un sapo ladrón de gallinas. Correr a escopetazos a un sapo no resultaba un buen sistema: ¡era demasiado difícil hacer puntería!

Y fue por eso que el comisario, después de mucho pensar, resolvió:

—Para un sapo ladrón de

gallinas, una de dos: o lo tiramos al agua o lo tiramos al fuego.

Y mandó que le trajeran al sapo para decidir de una vez por todas cuál iba a ser su castigo.

El pobre sapo estaba acurrucado en un rincón del calabozo, más ofendido que asustado, porque al fin de cuentas él era inocente.

–Dice el comisario que vayas, que quiere hablarte –le dijo el carcelero, y le abrió la puerta.

"Van a dejarme en libertad", pensó el sapito, "el zorro ha de haber confesado".

Y, bastante esperanzado, siguió al carcelero a los saltos.

–Sapito –dijo el comisario en cuanto lo vio llegar–, te ha llegado la hora. A ver, ¿qué te parece que querrá decir eso?

–¡Que ya es la hora de salir en libertad! –saltó el sapito–. ¿Ha visto, comisario? ¿Ha visto? ¡Yo le dije que era inocente!

—No, sapito. Quiere decir que llegó la hora de que pagues tus culpas. Vas a morir.

¡Pobre sapito! Los ojos casi se le salen del susto. Se aplastó contra el piso y desde ahí abajo miró aterrorizado los bigotes del comisario.

—Y la cuestión —siguió diciendo el comisario— es que todavía no me decido. No sé si tirarte al agua o tirarte al fuego. Para eso te llamé, sapito, para que me ayudes a decidirme.

"Ésta es mi última oportunidad", pensó el sapo, reponiéndose del susto y volviendo a animarse.

—Y-y-y-y-y —mintió, haciéndose el aterrorizado—, y-y-o prefiero... prefiero el fuego, señor comisario. Al fin de cuentas el fuego es calentito... y no moja... En cambio el agua... ¡brrr! ¡El agua sí que no me gusta nada!

—Entonces... ¡tírenlo al agua! —sentenció el comisario frunciendo el bigote—. ¡Para que sufra!

Está visto que este comisario no tenía piedad de la gente.

El sapito, encantado con esa condena, empezó a gritar y a llorar mientras lo metían en una bolsa para llevarlo al río.

–¡Ay, no, eso sí que no, al agua no, por favor! ¡Al agua no, que me mojo! ¡Al agua no, que me enfrío! ¡Al agua no, que me ahogo!

Y siguió gritando y llorando sin parar hasta que llegaron a la orilla del río, abrieron la bolsa, lo revolearon por el aire y lo tiraron al agua. *¡Plash!* hizo el sapito al zambullirse...

Pero en cuanto sintió contra la piel el frescor del agua empezó a sonreír con su famosa sonrisa de sapo. Enseguida se hundió y se quedó un buen rato sentado en el barro del fondo. Un rato después, cuando ya los policías se habían ido, nadó de vuelta hasta la superficie, chapoteó un rato y después enfiló tranquilamente hacia la orilla.

Mientras se alejaba saltando entre los yuyos canturreaba:

–¡Qué más quiere un sapo que lo echen al agua!

SERÁ JUSTICIA

Como cualquiera se puede imaginar, el sapo quedó bastante enemistado con el zorro desde el día aquel en que se lo lle-varon preso por su culpa. Sin embargo, un tiempi-to después volvieron a amigarse, y eso fue el día en que el zorro sacó al sapo de un gran aprieto.

Sucedió cuando el sapo y el gallo, que eran muy compinches, decidieron rumbear para el Norte: querían conocer otros lugares y parece ser que

hasta pensaban llegarse a Bolivia. Ya andaban cerca de Tucumán e iban los dos charlando animadamente cuando de golpe y porrazo se toparon con una víbora atrapada bajo un tronquito. Estaba la pobre medio asfixiada y, por mucho que se revolvía y se arqueaba, no lograba salir de la trampa.

–Por favor, hermanos –llamó con voz lastimera–. Sáquenme de aquí. Háganme la gauchada.

El sapo y el gallo se miraron sin saber qué hacer; al fin de cuentas la víbora no tiene demasiada buena fama y, además, ¡todo el mundo sabe que le encanta tragar sapos!

–Mejor no –dijo el sapo–. Es peligroso.

Pero la víbora siguió rogando.

–Hermanito, ¿cómo me dice eso? Mire que me voy a ofender... ¿Cómo iba yo a hacerle daño? Yo voy a ser su amiga, su mejor amiga voy a ser...

Y tanto rogó que el sapito sintió lástima y decidió ayudarla.

Se metió bajo el tronquito y empezó a hincharse y a hincharse como sólo saben hincharse los sapos. Por fin el tronquito cedió y rodó hacia un lado. Y la víbora, por fin, quedó en libertad. Llenó de aire sus pulmones, agradeció mucho y con muchas palabras la gentileza del sapo y se ofreció a acompañarlos en el viaje.

Ya eran tres. Pero no duró mucho la armonía; la víbora muy pronto olvidó sus promesas y empezó a perseguir al sapo para devorárselo. El sapo se escapaba a los saltos y la víbora iba atrás, zigzagueando entre el pasto.

—Es injusto lo que estás haciendo —le reprochaban el sapo y el gallo—. Nosotros te ayudamos a salir de la trampa y nos estás pagando con una traición.

Y en eso estaban, argumentando y discutiendo, cuando pasó por ahí Juan, el zorro, al trotecito. Al ver al trío se paró en seco.

—¿Qué tal, sapito, cómo te va? —saludó haciéndose el desmemoriado.

El sapo lo miró de reojo, como recordándole la deuda.

—A ver si usted puede ayudarnos, don —intervino el gallo—. Acá está la víbora, a la que el sapo rescató de una trampa, y ahora mismo quiere comérselo. ¡Así es como nos paga la desgraciada! ¿No le parece mal a usted lo que nos está haciendo este bicho?

Pocas cosas hay que le gusten más al zorro que hacer de juez entendido, y darse mucha importancia.

–Bueno, en estos casos, hay que volver de inmediato al lugar de los hechos, como dice mi amigo el comisario –dijo, y de paso le guiñó un ojo al sapo.

El sapo, que se mantenía un poco lejos, fuera del alcance de la víbora, no tardó en darse cuenta de que el zorro iba a tratar de pagarle la deuda del robo de las gallinas.

–Fue allá, del otro lado de esa lomita –explicó el gallo.

Y allá fueron los cuatro muy apurados. Al ratito nomás encontraron el tronquito donde había estado prisionera la víbora.

–¿Fue aquí? –preguntó el zorro.

–Aquí fue –contestaron los tres al mismo tiempo.

Ahí el zorro les explicó que, para entender bien cómo había sucedido la cosa, era necesario que la repitieran, punto por punto y sin olvidar nada.

–Como dice mi amigo el comisario, no hay nada como la "reconstrucción de los hechos" para encontrar al culpable –comentó, y volvió a guiñarle un ojo al sapo.

Todos se prepararon y el zorro ordenó:

–A ver usted, doña víbora, métase nomás debajo del tronco. Y que el sapito vuelva a hincharse como antes, hasta que el tronco quede justo como antes, bien encima de la víbora.

La víbora y el sapo, muy obedientes, hicieron lo que el juez zorro les ordenaba.

–¿Listo? –preguntó el zorro.

–Listo –respondieron la víbora y el sapo.

–Dígame, ¿usted está bien pero bien apretadita? –preguntó el zorro agachándose para ver si la víbora estaba realmente atrapada.

–¿Si estoy apretada? ¡Cassssi no puedo ressspirar! –se quejó la víbora con voz jadeante.

–Ah, bueno, muy bien. Entonces... ¡listo, sapito! ¡Ya pueden seguir viaje!

–¿Y yo? –se interesó la víbora empezando a preocuparse.

–Usted se queda ahí donde está, ¡por mala pagadora!

Y con cara de importante agregó:

–Se ha hecho justicia.

Y así fue como el sapo se reconcilió con el zorro. Y siguió nomás caminando con el gallo porque querían conocer otros lugares y, en una de ésas, llegar hasta Bolivia.

UNA FIESTA EN EL CIELO
Y UN COLADO

Así es, del sapo se cuentan muchas historias. Pero ninguna tan famosa como la de aquella vez en la que el pobre pretendió hacerse pasar por pájaro, nada menos.

Cuentan que fue un día en que los pájaros andaban de lo más alborotados porque se preparaba una gran fiesta en el cielo. El que más, el que menos, se engalanaba lo mejor posible. La tijereta se lustraba la cola, el cardenal se peinaba el copete, el carpintero se afilaba el pico y todos se alisaban las plumas y se hacían gárgaras con agua tibia para tener bien templada la garganta.

Entre los invitados se encontraba, por supuesto, Pala-pala, el cuervo, gran guitarrero. Al caer la tarde ya estaba listo para volar al cielo; trajeado de negro, como es su costumbre, con la guitarra colgada al cuello y el poncho al hombro. Y fue entonces cuando se encontró con el sapo, muy intrigado porque ya algo había oído hablar del gran acontecimiento.

–¿Qué tal, amigo sapo? –lo saludó el cuervo.

–Aquí ando, Pala-pala, como siempre, entre los yuyos... ¿Y usted? ¡Qué elegante!

–Es que voy a una fiesta, ¿sabe? A una gran fiesta de pájaros en el cielo. Y ya me han de estar esperando, como tengo fama de buen guitarrero...

Al sapo le entraron de pronto unas ganas bárbaras de que lo invitaran a esa famosa fiesta. ¡Una fiesta en el cielo, nada menos!

–Es verdad, Pala-pala –comentó–. No hay fiesta

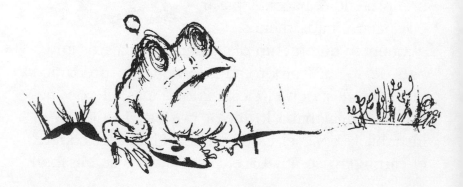

como es debido sin guitarrero... Y tampoco sin un buen cantor. Ya se sabe que el cantor es el alma de la fiesta –y, mirando de reojo al cuervo, agregó–: A propósito, ya sabrá usted que para cantar me pinto solo, así que... yo digo nomás, ¿no le convendrá llevarme?

El cuervo sonrió como disculpándose:

–Lo siento mucho, sapito, pero esta vez no va a poder ser. Es fiesta de pájaros nomás, no sé si me entiende. Tal vez en otra oportunidad... Bueno, me voy volando que se me hace tarde.

Pero el sapo tenía muchas ganas de ir a la fiesta, y cuando un sapo tiene muchas ganas de algo no hay quién lo pare. Fue por eso que no lo pensó dos

veces y se metió de un salto en la guitarra del cuervo, sin que el cuervo se diese cuenta. Y así viajó, cómodo y calladito, hasta llegar al cielo.

En cuanto el cuervo apoyó la guitarra en una nube, el sapo se asomó por el agujero y se puso a espiar entre las cuerdas. ¡Era una fiesta flor, y muy concurrida! Estaban todos: los tordos, las palomas, las calandrias, los jilgueros, las lechuzas, los picaflores, los caranchos.

"¡Sólo falta el sapo!", pensó el sapito, y de un sal-

to salió de la guitarra y se escondió lo mejor posible para que nadie lo viera.

Le gustaba oír los trinos, los silbidos, los arrullos y los gorjeos de los invitados. Y más le gustó oír las canciones que se pusieron a cantar todos a coro.

"¡Qué bien suena!", pensó el sapo, "pero va a sonar mejor todavía si yo les hago contrapunto".

Y tanto se entusiasmó con la música que empezó a croar y a croar con todas sus fuerzas.

Los pájaros, muy sorprendidos, se callaron enseguida. Se miraron unos a otros y después miraron hacia donde estaba el sapo, que, muy entusiasmado, seguía meta *croac–croac*.

Entonces se acercó el carancho, con aires de patrón de fiesta, y preguntó:

–¿Y este chango cómo llegó hasta el cielo?

—Y... como todos... por el aire —dijo el sapo haciéndose el inocente.

—Pero ¿no ve que ésta es una fiesta de pájaros?

—¿Ah sí? ¡Yo no sabía! —mintió el sapo—. La culpa la tiene el cuervo: él me dijo que viniera.

—¡Sapo mentiroso! —protestó Pala-pala, muy enojado, mientras pensaba: "¿Cómo habrá hecho este sapo para llegar hasta el cielo?"

El sapo no creyó necesario seguir disimulando, así que se pasó el resto de la fiesta cantando de lo lindo y tragando todo lo que pudo. No quedó un solo pájaro que no criticara al cuervo por haber llevado a un sapo ronco y tragón a una fiesta de pájaros en el cielo.

Pero dicen que todo llega a su fin, y también se terminó la fiesta. Los pájaros empezaron a despedirse y enfilaron uno a uno hacia sus nidos. El cuervo, entre tanto, no le quitaba el ojo de encima al sapo, y cuando vio que se escondía dentro de la guitarra pensó "¡Ahora sí que te agarré!" y, haciéndose el distraído, se colgó la guitarra y el poncho y se despidió de la fiesta.

Al rato de andar volando empezó con las volteretas. Hacía trompos en el aire, se tiraba en tirabuzón, en picada, remontaba como flecha, y la guitarra se sacudía al viento como un cencerro. Tanto que por fin el sapo se resbaló por el agujero y empezó a caer a toda velocidad al suelo mientras gritaba por si alguien lo escuchaba:

—¡Colchones! ¡Pongan colchones!

Nadie lo escuchó, por supuesto, pero tuvo suerte y no cayó en la tierra sino en un charco. Ahora, eso sí, se dio tal panzazo que quedó muchísimo pero muchísimo más chato que antes.

Claro está que, como era un sapo aguantador, pronto se recuperó del susto y al rato ya estaba saltando entre los yuyos, persiguiendo moscas.

De la fiesta en el cielo nunca puede olvidarse porque cada vez que Pala-pala lo ve a los saltitos entre los yuyos le canta, socarrón, desde el aire:

De las aves que vuelan
me gusta el sapo,
porque es petiso y gordo,
panzón y ñato.

EL SAPO LE DECLARA LA GUERRA AL TIGRE

Entre los animales se comenta que el sapo nunca se achica, que se le anima a cualquiera. Y por eso no es de extrañar que un día se haya atrevido a declararle una guerra al mismísimo tigre.

Fue un día como tantos, a orillas de un arroyo tucumano. El sapo estaba muy contento cazando langostas bien gordas cuando se acercó a beber el tigre, y medio que lo atropella.

El sapo se molestó bastante: ya estaba harto de que todos los grandotes se lo llevasen por delante.

—Escuche, don. ¿No sabe pedir permiso? —protestó, furioso porque por culpa del empujón había perdido a la langosta más gorda.

—¿Y a quién le iba a pedir permiso si aquí no hay nadie? —se burló el tigre mirando hacia todas partes y haciendo como que no veía al sapito, furioso e hinchado, al borde del agua.

—Estoy yo —gritó el sapo guapeando—. ¡Y ya es bastante!

—¿Dónde? ¿Dónde? —siguió burlándose el tigre—. ¡Ah, sí, ahí está el pasto! ¿Así que ahora para caminar por el monte hay que pedirles permiso a los pastos? No sabía. Bueno, entonces... Permiso, pastitos, voy a pisarlos.

—No se haga el gracioso y pida disculpas —bufó el sapo.

Y ahí fue cuando el tigre se cansó de jugar y mostró la zarpa. Y rugió como sólo saben rugir los tigres cuando quieren asustar a un sapo.

–¡Silencio, sapito, o te aplasto!

Un tigre con cara de malo es capaz de meterle miedo a cualquiera, ¡pero nunca al sapo!

–Está bien –dijo el sapo sin temblar ni un poquito–, si quiere pelear... ¡le juego una guerra! Tráigase todos sus amigotes que yo lo espero aquí con los míos. Vamos a pelear, y a ver quién gana. Pero, eso sí, si el que gana soy yo usted me va a tener que decir: "Mil perdones, señor don sapo, lamento mucho haberlo atropellado".

–¡Juá! ¿Cómo es eso? "Mil perdones, señor don sapo, lamento mucho haberlo atropellado" –repitió el tigre en falsete–. ¡Ay, qué lindo! ¿Me sale bien? A ver: "Mil perdones, señor don sapo..." ¡Juá, juá, juá! Está bien, sapito, ¡te juego la guerra!

El tigre se alejó contento, muerto de risa: el monte ya no le parecía tan aburrido. ¡Por fin una juerga!

A la tardecita reunió a sus amigos, los uñudos y los dientudos: pumas, zorros, pecaríes, gatos monteses, toda gente brava y peleadora.

–Les tengo preparada una fiestita –les anunció–. Prepárense porque mañana vamos a reventar sapos, ranas y escuerzos.

Y les explicó su pelea con el sapo.

Los matones se rieron a carcajadas mostrando sus filosas hileras de dientes.

Pero el sapo también hizo lo suyo y reunió, muy en secreto, un ejército especial. Nada de sapos, ra-

nas y escuerzos. Más bien fueron avispas, abejas, jejenes, mosquitos, mangangaes, toda gente petisa pero de cuidado.

Cuando los tuvo reunidos los arengó y les pidió ayuda.

Algunos tenían sus dudas porque un sapo no es la mejor compañía para un mosquito. Pero el sapo los convenció: les prometió que de entonces en más sólo iba a cazar langostas.

Cuando llegó la hora señalada para la guerra los mandó esconderse en las ramas de los algarrobos y se paró él solo junto a la orilla del arroyo.

—¡Por acá, uñudos! ¡Por acá, dientudos! —gritaba en desafío—. ¡Los estamos esperando!

Y se fueron al trote los amigos del tigre, muertos de risa, preparados para despatarrar sapos.

—¡Al ataque! —gritó el sapo cuando los vio avanzar.

¡Y ahí fue la cosa! El aire se oscureció de pronto con una gran nube de bichos. A los uñudos y a los dientudos de poco les sirvieron sus uñas y sus dientes contra los aguijones que se les clavaban en los lomos, en las orejas, en los hocicos...

El sapo, entre tanto, dirigía el combate:

–¡Por el flanco derecho! ¡Por el izquierdo! ¡Atención con la retaguardia!

Las orillas del arroyo se convirtieron en un verdadero campo de batalla. Los matones se revolcaban contra las matas de pasto, aullaban de dolor, se sacudían cuanto podían, pero no lograban zafarse de los picadores, que se les prendían que daba gusto.

El tigre era el que llevaba la peor parte, por supuesto; era el blanco preferido de todos los aguijones.

–¡Basta! ¡Basta! ¡Me rindo! –gritaba retorciéndose mientras trataba de espantarse con la zarpa una nubecita de avispas que le coronaba la cabeza.

–¿Cómo dice? –gritó el sapo–. ¡Hable más fuerte!

–¡Digo que me rindo! –volvió a aullar el tigre.

–¿Cómo dice? –repitió el sapo haciéndose el que no oía.

Y el tigre recordó de pronto cuáles habían sido las condiciones de esa guerra. Sintió una nueva picadura, esta vez muy cerca del hocico, y no lo pensó dos veces:

–"Mil perdones, señor don sapo, lamento mucho haberlo atropellado" –masculló mientras se zambullía en el agua para huir ahora de los jejenes, que se le habían ensañado con la cola.

–Siendo así –dijo el sapo–, esta guerra se termina.

Y los picadores se fueron.

También se fueron los uñudos y los dientudos, no sin antes reprocharle al tigre la muy desgraciada aventura.

Y ese arroyo tucumano volvió a ser un arroyo solitario, con un tigre lleno de ronchas y un sapito tranquilo, que cazaba langostas gordas junto a la orilla. Sólo langostas, porque cumplió con la promesa.

ADIVINANZAS Y COPLAS SAPERAS

Salta y salta
y la colita le falta.

Animalito, lico, lico,
que no tiene cola ni pico.

Saltaba y estaba
y no era taba,
sólo la colita le faltaba.

Tengo traje verde
todo arrugadito,
lo lavo en los charcos,
lo seco al solcito.

La tortuga con el sapo
se fueron a trabajar;
la tortuga de patrona
y el sapo de capataz.

Un sapo se fue a la tienda:
compró una vara 'e coleta,
se hizo camisa y calzón;
a la sapa, camiseta,
y sacos a los sapitos
de los recortes chiquitos.

La rana le dice al sapo:
—Quita para allá, sarnoso.
Responde el sapo y le dice:
—Sarnoso, pero buenmozo.

En el medio de la mar
estaba un sapo en cuclillas
mirándose en el espejo
rascándose las patillas.

El sapo con el coyuyo
se convidan a una farra.
El sapo toca la flauta
y el coyuyo, la guitarra.

De las aves que vuelan
me gusta el sapo,
porque es petiso y gordo,
panzón y ñato.

Señores, les contaré:
he visto un sapo con lana,
la rana lo trasquiló,
hizo felpa y cubrecama.

Yo he visto un sapo volar,
un zorro con alpargatas
y en el fondo de la mar
un burro asando batatas.

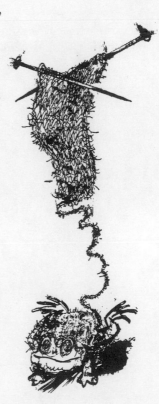

¿DÓNDE ENCONTRAMOS ESTAS HISTORIAS?

LA PRIMERA APUESTA

El cuento de la apuesta entre el suri y el sapo, a
ver quién de los dos veía antes la luz del sol, se
cuenta en muchas regiones de Catamarca, Mendoza y San Luis, todas provincias cordilleranas, como es natural, porque el cuento tiene que ver con
la Cordillera. Berta Vidal de Battini ha recogido
varias de esas versiones en su obra *Cuentos y le-*

yendas populares de la Argentina, Buenos Aires, Ediciones Culturales Argentinas, 1980.

LA CARRERA DEL SIGLO

El cuento de la carrera entre el suri y el sapo es uno de los más famosos. Se lo conoce y se lo cuenta en todas las provincias argentinas, desde Jujuy hasta Santa Cruz. Por lo general el protagonista es el sapo y el adversario, el ñandú o suri. Pero también se lo cuenta con otras variantes: el zorro y el sapo, el quirquincho y el sapo, la garrapata y el suri o la liebre y el león.

Los cuentos de carreras de animales son comunes en todos los pueblos desde hace muchos cientos de años.

¿QUÉ MÁS QUIERE EL SAPO?

El cuento del sapo al que quieren castigar echándolo al agua se cuenta en las provincias del centro y el noroeste de nuestro país, aunque hay también variantes que circulan en Misiones y en el norte de la provincia de Buenos Aires. "Qué más quiere el sapo que lo echen al agua" es un dicho muy popular en el campo.

SERÁ JUSTICIA

El tema del animal traidor, que paga un bien con un mal, es muy común en los cuentos populares de todo el mundo. Se lo encuentra en Oriente, en Europa y en América. La versión que más nos gustó para tomar como base de  este cuento fue una de las recogidas en Santiago del Estero por Berta Vidal de Battini.

UNA FIESTA EN EL CIELO Y UN COLADO

El cuento de la fiesta en el cielo se cuenta en las provincias de Jujuy, Salta, Tucumán, Catamarca, La Rioja, Santiago del Estero, Córdoba, San Luis, Mendoza, San Juan, Entre Ríos, Buenos Aires,

La Pampa y Río Negro. A veces el protagonista es el zorro, pero al parecer el dueño original de la peripecia fue el sapo.

EL SAPO LE DECLARA LA GUERRA AL TIGRE

Es un cuento muy contado en el país, sobre todo en las provincias de Buenos Aires, Corrientes, Misiones, Córdoba, San Luis, Mendoza, La Rioja, Catamarca, Santiago del Estero, Tucumán, Salta y Jujuy. Los protagonistas varían a veces: pueden ser el grillo y el puma, el quirquincho y el zorro... Pero siempre se trata de una lucha entre los de dientes y garras por un lado y los de flechas por otro, entre carnívoros e insectos.

Las versiones en las que el protagonista es el sapo son muy comunes en Tucumán, Santiago del Estero y San Luis.

Para quien quiera saber más sobre estos cuentos y no tenga a mano algún buen narrador que los recuerde, puede buscarlos en los libros de los folkloristas que los han recogido. Entre ellos:

Chertudi, Susana. *Cuentos folklóricos de Argentina*,

Buenos Aires, Instituto Nacional de Filología y Folklore, 1960.

-*Folklore literario argentino*, Buenos Aires, Centro Editor de América Latina, 1982.

Vidal de Battini, Berta. *Cuentos y leyendas populares de la Argentina*, Buenos Aires, Ediciones Culturales Argentinas, 1980, tomos I, II y III.

ÍNDICE

Esta edición de 3.000 ejemplares
se terminó de imprimir en
Encuadernación Araoz S.R.L.,
Avda. San Martín 1265, Ramos Mejía, Bs. As.,
en el mes de mayo de 2005.

EL DUEÑO
DE LOS ANIMALES

Jorge Accame

Ilustraciones
Luis Scafati

"*El hombre caza desde siempre. Desde antes de pararse sobre sus dos piernas y caminar erguido por el mundo. Los monos cazan, y los tigres.*
Me he preguntado muchas veces en qué terrible rincón del alma se origina el impulso de la caza, esa necesidad de romper otro cuerpo, dejarlo sin vida y alimentarse de él. Las historias que presento en El dueño de los animales *no pretenden responder este interrogante, sino persistir en la búsqueda.*"

CUENTAMÉRICA

LO QUE CUENTAN LOS WICHÍS

Miguel Ángel Palermo

Ilustraciones
María Rojas

"Durante largo tiempo, y junto con otros pueblos aborígenes, los wichís —a los que algunos llaman 'matacos'— fueron los dueños de la región chaqueña argentina. Tierra de montes calurosos, siempre a medias entre la sequía y la inundación, que llega cuando se enloquecen sus ríos perezosos.

En muchos siglos de aprender a vivir en el Chaco, los wichís crearon una cultura propia, una manera de entender el mundo, que aparece en gran cantidad de historias. Hay historias de soles que tratan con la gente, de animales que hablan, de robos del fuego, de burladores burlados, de héroes. Ahora, esas historias se abren paso en un libro, lejos de los fogones chaqueños, más allá de las palabras de los viejos, hacia otras partes del mundo."